Je lis, je fourmille, je grandis

Pour la présente édition © 2002, Albin Michel Jeunesse,
22, rue Huyghens – 75014 Paris www.albin-michel.fr
Loi 49956 du 16 juillet 1949 sur les publications destinées à la jeunesse.
Dépôt légal : premier semestre 2002 – N° d'édition : 12494
ISBN : 2 226 12906 5 - Imprimé en Italie par Officine Grafiche de Agostini

Florence Langlois

Petite Princesse
le coup de foudre

ALBIN MICHEL JEUNESSE

Il était une fois une princesse qui savait tout faire, même la pluie et le beau temps !

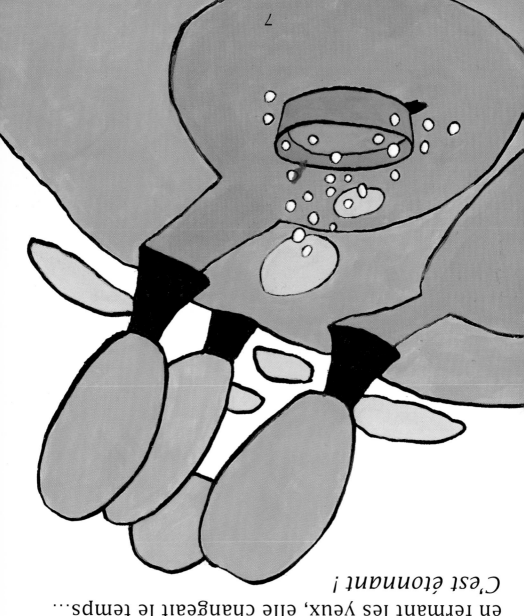

En tapant des pieds, en tapant des mains,
en fermant les yeux, elle changeait le temps...
C'est étonnant !

Faire pleuvoir, neiger,
« tempêter » ou « soleiller »,
c'est amusant !

Mais ce que la princesse préférait,
c'était jardiner, car *la tarte aux fraises*
était son dessert favori !

9

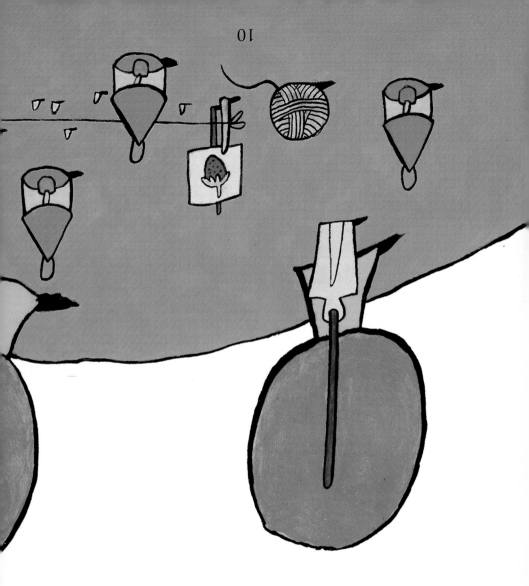

Les fraisiers, c'est long, long à faire pousser…
La princesse passait tout son temps au jardin.
Elle écoutait ses fraisiers grandir.

Dans le royaume d'à côté, il y avait
un prince qui savait tout faire aussi :
guerroyer, taillader, pourchasser les dragons.
Mais il était nul en *tarte aux fraises*
et pourtant c'était
son dessert préféré !

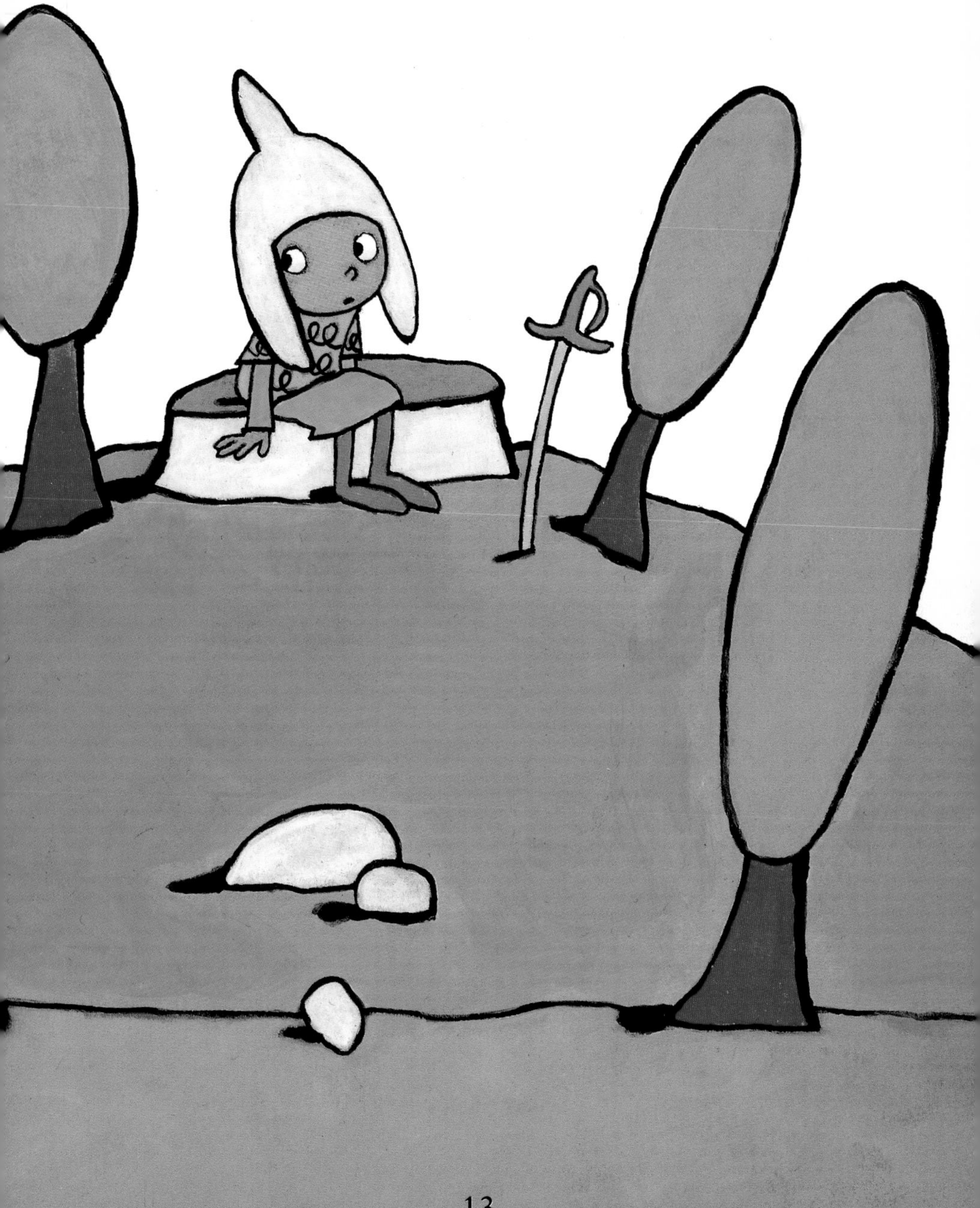

Le souci pour le prince,
c'était qu'il n'y avait plus grand-chose
à taillader dans son royaume
ni de tarte aux fraises à manger, d'ailleurs.

Alors, le prince partit.

Le souci pour la princesse,
c'était que les fraises,
c'est long, long à mûrir...

« Ce n'est pas encore demain
que je pourrai manger ma tarte ! »

enrageait-elle en tapant du pied.
Et la neige se mit à tomber.

« Quel temps pour un printemps ! »

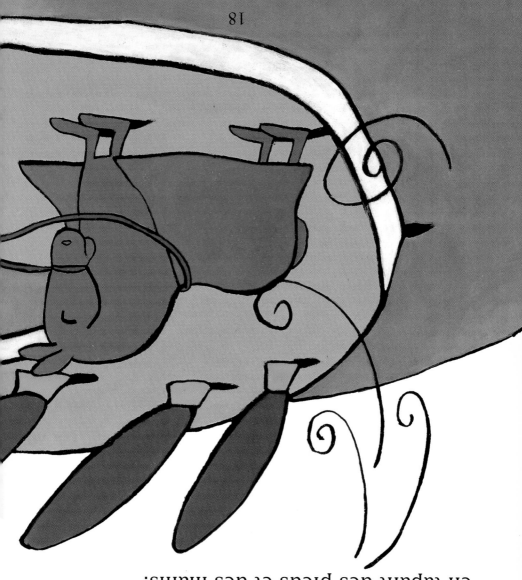

— *AH NON !* pas de neige sur mes fraises,
ça ne va pas les arranger ! s'écria la princesse
en tapant des pieds et des mains.

Une grosse bourrasque se leva et balaya tout ça.

« Qu'est-ce que c'est
que ce temps
vraiment pas marrant ? »

– Ce qu'il me faut plutôt, c'est de l'eau !
La princesse battit des mains avec énergie.

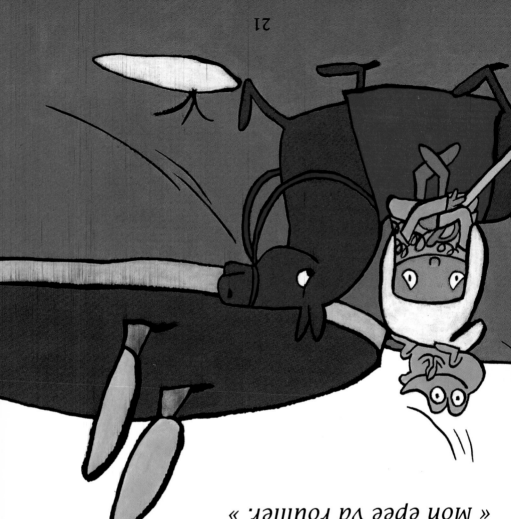

Le prince qui savait tout faire
ne savait pas comment faire
pour ne pas attraper...
un rhume carabiné !

« *Mon épée va rouiller.* »

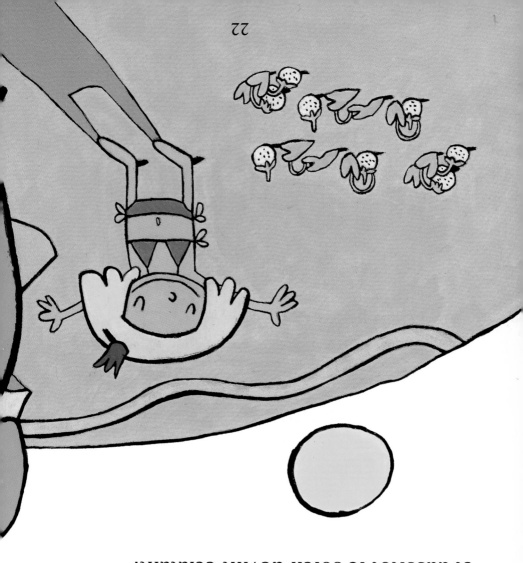

La princesse était ravie,
ses fraises avaient GROSSI.
Elle ferma les yeux de contentement
et aussitôt le soleil devint éclatant.

« Quelle chaleur, ô malheur ! »

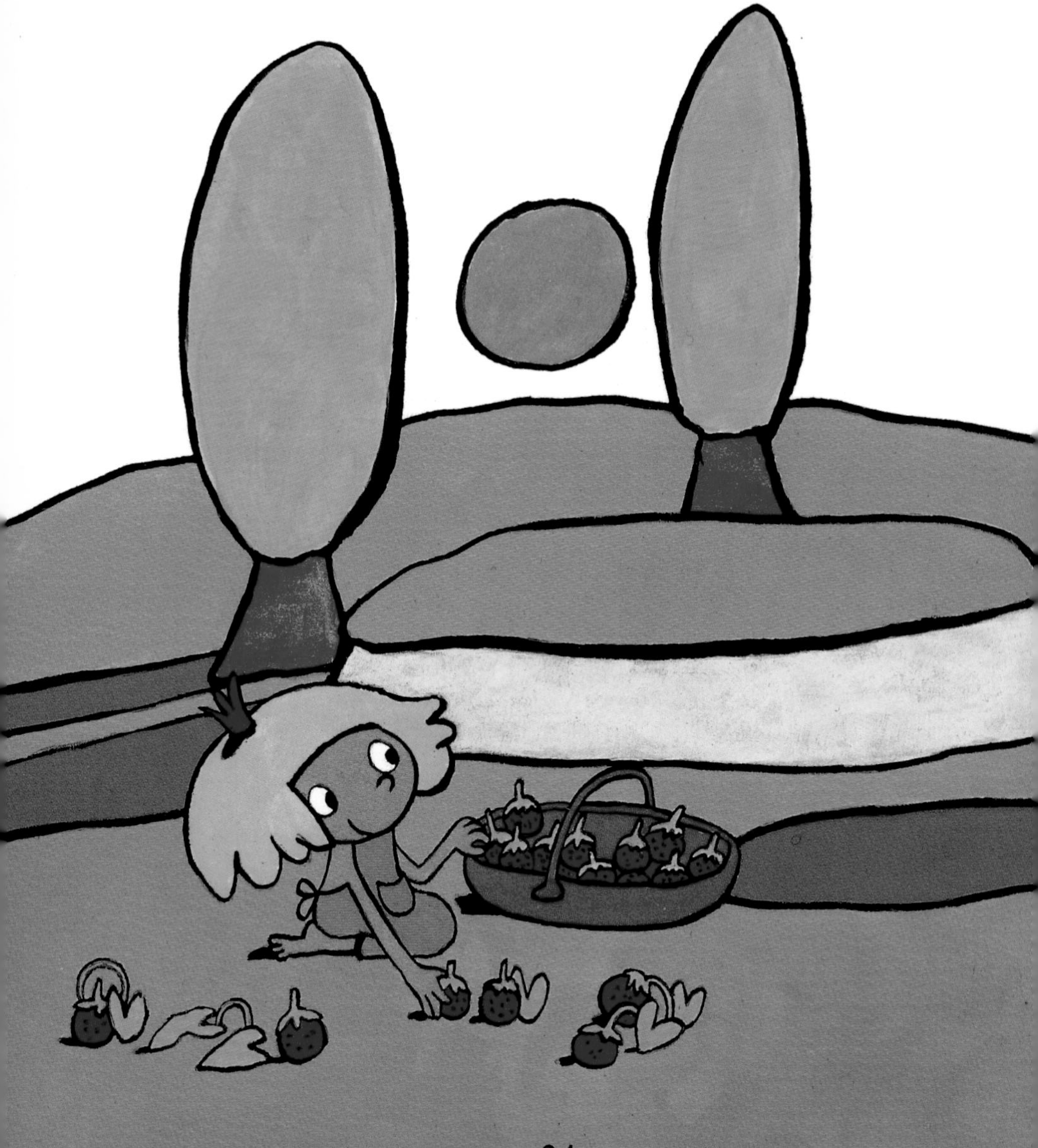

– Depuis que je suis parti,
s'étonna le prince,
je n'ai rien pourchassé.
J'ai attrapé un gros rhume
et un coup de soleil sur le nez.

« Il y a un drôle de climat
par ici, ne trouvez-vous pas ? »

La princesse rougit,
aussi fort que ses fraises.
Puis, elle cueillit les plus belles
de son jardin et prépara
une tarte très, très bonne.

Les yeux du prince
se mirent à briller.

27

– Je vous excuse pour tout ce mauvais temps,
murmura le prince tout ému.
Si vous m'apprenez à cuisiner,
je vous apprendrai à chasser les dragons !

– *YOUPI, OH OUI !* s'écria la princesse
en battant des mains…